DE LA

CONGESTION ET DE L'INFLAMMATION

DES

MÉNINGES CÉRÉBRALES

ET SPINALES

DANS LA PNEUMONIE

PAR

Le Dr G. VERNEUIL

Ancien élève des hôpitaux de Paris,
Médaille de bronze de l'Assistance publique.

PARIS
IMPRIMERIE DE A. PARENT
IMPRIMEUR DE LA FACULTÉ DE MÉDECINE
rue Monsieur-le-Prince, 31.

1873

DE LA

CONGESTION ET DE L'INFLAMMATION

DES

MÉNINGES CÉRÉBRALES

ET SPINALES

DANS LA PNEUMONIE

PAR

Le Dr G. VERNEUIL
Ancien élève des hôpitaux de Paris,
Médaille de bronze de l'Assistance publique.

PARIS
IMPRIMERIE DE A. PARENT
IMPRIMEUR DE LA FACULTÉ DE MÉDECINE
31, rue Monsieur-le-Prince, 31.

1873

A MA GRAND'MÈRE

A MON PÈRE ET A MA MÈRE

A MA FAMILLE

A MES AMIS

A MON PRÉSIDENT DE THÈSE ET MON MAITRE,

M. LE PROFESSEUR VULPIAN.

A MES MAITRES DANS LES HÔPITAUX :

MM. BERGERON, GOMBAULT, LABBÉ,
LANCEREAUX, MATICE.

DE LA

CONGESTION ET DE L'INFLAMMATION

DES

MÉNINGES CÉRÉBRALES ET SPINALES

DANS LA PNEUMONIE.

AVANT-PROPOS.

Tous les auteurs qui ont écrit sur la pneumonie ont recherché à l'amphithéâtre l'explication des accidents nerveux qui, assez fréquemment, compliquent cette phlegmasie. Tous ont signalé les lésions caractéristiques de la méningite cérébrale et de l'encéphalite. Mais là se sont arrêtées leurs recherches ; peu ont songé à ouvrir le canal rachidien, et à s'assurer si la pie-mère spinale ne participait pas, dans le cours de la pneumonie, aux lésions de la pie-mère cérébrale.

Quelques observations que nous devons à l'obligeance de notre maître, M. le professeur Vulpian et de notre ami M. Troisier, interne des hôpitaux, nous ont permis de combler, en partie du moins, cette lacune ; nous avons donc tenté, dans ce travail, de décrire la marche et la nature de ces complications méningées de la pneumonie franche qu'elles portent sur les enveloppes du cerveau ou sur celles de la moelle.

Que M. Vulpian nous permette, avant de quitter les bancs de l'école, de lui adresser nos remercîments pour la bienveillance et l'intérêt qu'il nous a toujours témoignés dans le cours de nos études.

ANATOMIE ET PHYSIOLOGIE PATHOLOGIQUES.

I. Chez un certain nombre de malades atteints de pneumonie franche, on peut observer que, dès le début de l'affection, le système nerveux est plus ou moins troublé dans ses fonctions. La rougeur de la joue du côté correspondant au poumon malade, l'injection de la face, le sentiment de pesanteur de tête, la céphalalgie si vive chez quelques-uns, le délire, les accidents convulsifs des enfants, tout semble attester qu'il se fait vers la tête un afflux sanguin, surtout considérable dans le système vasculaire cérébral.

Ces troubles circulatoires s'accompagnent de symptômes plus ou moins durables, qui tantôt disparaissent dès que la maladie est confirmée, tantôt sont tellement violents qu'ils dominent l'ensemble phénoménal, au point de faire croire à une affection cérébrale primitive, et méconnaître la véritable cause des désordres.

Grisolle, dans une de ses cliniques (1), rapporte un cas où la pneumonie revêtait tout à fait l'extérieur d'une

(1) Union méd., 1848.

fièvre typhoïde ataxo-adynamique et aurait pu en imposer à un médecin moins exercé que lui.

C'est lorsque les malades ont présenté cet ensemble symptomatique si grave que l'on en a recherché l'explication à l'amphithéâtre et que l'autopsie a montré les lésions les plus variées, et souvent bien peu en rapport, en apparence du moins, avec les symptômes observés pendant la maladie.

Après avoir rendu compte des recherches des principaux auteurs sur ce sujet, nous donnerons l'analyse des observations qui font la base de ce travail.

Briquet, sur neuf individus qui avaient présenté du délire dans le cours de leur pneumonie, a observé chez six l'inflammation des méninges à la convexité du cerveau. Dans trois autres cas, l'appareil vasculaire était gorgé de sang et l'encéphale à la coupe présentait un picté, tenant à la réplétion des vaisseaux qui le traversaient.

Louis, dans huit autopsies de pneumoniques morts avec des symptômes nerveux, a trouvé cinq fois le cerveau sain. Dans les trois autres cas, le système vasculaire était gorgé de sang, mais l'encéphale ne présentait plus la teinte rosée ou piquetée coïncidant avec l'injection des méninges, ainsi que nous l'avons notée dans plusieurs de nos observations.

Grisolle (1) a rencontré 8 fois sur 27 cas de délire dans la pneumonie, une infiltration purulente du tissu cellulaire sous-arachnoïdien ; dans les autres cas il n'a trouvé 2 fois qu'un léger piqueté des lobes cérébraux, 6 fois une infiltration séreuse des méninges ;

(1) Grisolle, Traité de la pneumonie.

enfin dans les autres autopsies, il n'a rien trouvé d'appréciable.

Durand-Fardel donne l'analyse de douze observations de pneumoniques morts avec du délire. Chez sept, il ne trouva rien dans l'encéphale qui pût être rapproché des phénomènes observés à la fin de la vie. Chez deux autres, il constata une vive injection de la pie-mère; une vive injection de la pie-mère et une augmentation notable de la sérosité chez un troisième qui avait présenté des symptômes apoplectiformes. L'encéphale du quatrième offrait sur quelques circonvolutions de l'hémisphère droit, un peu de pointillé rouge occupant la surface et l'épaisseur de la couche corticale. Enfin, chez le cinquième, il trouva à la partie postérieure de la grande cavité de l'arachnoïde à gauche une fausse membrane, ayant donné lieu à une hémorrhagie méningée.

M. le Dr Lépine, dans sa thèse inaugurale, note trois fois la grande quantité du liquide sous-arachnoïdien, et dans un cas l'augmentation de volume des veines de la pie-mère. Nous sommes heureux de voir M. Lépine noter cette grande abondance de liquide sous-arachnoïdien, signalé déjà par Grisolle et Durand-Fardel et que nous retrouvons dans deux de nos observations. Peut-être nous servira-t-elle à expliquer certains symptômes, et le développement de l'inflammation des méninges.

Nos recherches sur la méningite cérébro-spinale, survenant dans le cours de la pneumonie franche, sont restées presque sans résultat.

Un seul mémoire, et il est allemand, nous a fourni

(1) Durand-Fardel, Maladies des vieillards, 1854.

quelques faits de ce genre; mais faits qui, à notre point de vue, perdent de leur valeur, puisqu'ils ne sont, pour ainsi dire, que l'extension d'une épidémie de méningite cérébro-spinale. Les auteurs de ce mémoire, MM. Immerman et Heller, ont observé 9 cas de pneumonie, pendant lesquels sont survenues des complications du côté des méninges cérébrales et rachidiennes. Le miasme qui avait causé l'épidémie ne sévissait plus que chez les enfants et les sujets affaiblis soit par la maladie, et c'est ici le cas, soit par d'autres causes.

Ces 9 malades ont présenté les symptômes communs de la méningite, strabisme, rétrécissement ou dilatation des pupilles, douleurs rachialgiques, céphalalgie, délire, convulsions et coma. La rétraction du ventre a été constante. A l'autopsie, les observateurs ont noté chez tous l'infiltration purulente des méninges de la base et de la convexité du cerveau. 7 fois la substance cérébrale était diminuée de consistance, et 3 fois elle présentait de petits foyers hémorrhagiques; 3 fois aussi les ventricules étaient distendus par la sérosité.

Dans 7 cas, seulement, la moelle fut examinée, et 5 fois on a constaté une altération des méninges spinales en avant et en arrière.

Il est probable que si la méningite cérébro-spinale n'a pas été signalée plus souvent comme complication de la méningite, cela tient à ce qu'elle ne s'accompagne pas toujours de symptômes aussi tranchés que dans les cas signalés par MM. Immermann et Heller.

M. Lépine a publié trois observations d'hémiplégie

(1) Immerman und Heller, Pneumonie und menningitis. Deutches Arch. f. klin med., 1868.

pneumonique sans lésions de l'encéphale. Nous en donnons nous-même un cas intéressant, pour montrer combien est difficile le diagnostic de semblables complications. Mais, à côté de ces faits, où les symptômes ne trouvent pas leur explication à l'autopsie, on découvre parfois des lésions considérables qui n'ont donné lieu pendant la vie à aucun symptôme, au moins en rapport avec leur étendue. C'est ce que nous avons constaté dans les observations 7 et 6, sur lesquelles nous reviendrons plus loin.

Examinons maintenant nos observations et voyons en quoi elles se rapprochent ou diffèrent des observations de nos devanciers. Nous les avons groupées de façon à montrer graduellement les différents degrés auxquels la congestion des méninges peut atteindre, et, pour ce motif, nous avons commencé par une observation dont le sujet a présenté pendant la vie des symptômes cérébraux, sans qu'aucune lésion n'ait été révélée à l'autopsie. Le motif qui nous a porté à donner ici cette observation, bien qu'elle ne paraisse pas rentrer directement dans notre sujet, trouvera sa raison d'être dans le diagnostic, qui avait été porté, d'hémorrhagie méningée; du reste, comme je l'ai dit déjà, elle nous servira à montrer combien est difficile le diagnostic de complications méningées dans le cours de la pneumonie.

OBSERVATION I

Pneumonie du sommet méconnue : on avait diagnostiqué une hémorrhagie méningée qui n'existait pas.

Nicolet (Jeanne), 81 ans, entre, le 2 mars 1862, à l'infirmerie de la Salpêtrière, service de M. Vulpian. Cette femme n'avait jamais été paralysée.

A 11 heures du matin, elle est prise de vomissement. L'interne de garde, appelé, ne la trouve pas assez malade pour l'admettre à l'infirmerie. Elle parlait très-bien alors. Un quart d'heure après, elle était mourante; perte de connaissance, respiration haute et suspirieuse; paralysie complète, précédée d'un peu d'agitation des membres des deux côtés du corps; flexion avec contracture des avant-bras sur les bras.

Pas de contracture des membres inférieurs.

Le chatouillement de la plante des pieds ne provoque de contractions réflexes que dans le membre inférieur droit.

Le pincement de la peau provoque des contractions réflexes dans les membres supérieurs et inférieurs, qui paraissent plus fortes du côté droit.

Les paupières sont fermées, les deux pupilles moyennement resserrées. L'iris se contracte sous l'influence de la lumière; léger strabisme; l'œil droit regarde en bas et à droite, le gauche en haut et à gauche.

Face pâle, ne présentant pas de déviation. Les deux joues se gonflent également à chaque inspiration (*la malade fume la pipe des deux côtés*).

Respiration stertoreuse; 50 pulsations assez régulières; pas de bruit anormal bien marqué au cœur.

Morte dans la nuit du 2 au 3 février, n'avant vécu que dix-huit heures à partir du début des accidents remarqués, et cet intervalle n'ayant été, à proprement parler, qu'une agonie, la malade étant évidemment mourante déjà au moment de la visite.

La nécropsie est faite le 4 mars, à 10 heures du matin, par M. Vulpian, en présence de M. Charcot.

Le cerveau est tout d'abord examiné avec le plus grand soin, membranes et organes eux-mêmes. Il n'y a absolument aucune altération. Les artères de la base sont assez fortement athéromateuses, mais non oblitérées.

On est assez surpris de trouver une pneumonie occupant à peu près tout le lobe supérieur du poumon gauche, pneumonie à très-fines granulations grises. Le tissu malade a une teinte brun rosé, granité de grisâtre. Il est fortement œdémateux. Le doigt y pénètre facilement. Les parties qu'on en détache vont au fond de l'eau. La couche superficielle du poumon, et surtout la plus élevée du sommet du lobe supérieur, sont seules épargnées.

Rien dans l'autre lobe, ni dans le poumon droit.

Cœur. — Sain. Les valvules du cœur gauche, suffisantes, indurées, épaissies, contiennent des plaques calco-athéromateuses. Petit condylome frangé sur l'une des valvules. Valvules mitrales un peu épaissies et indurées. Artère pulmonaire saine, ne présentant pas de caillots remarquables.

Aorte. — Plaques athéromateuses dans sa partie thoracique; plaques calcaires dans sa partie abdominale, surtout en se rapprochant des artères iliaques.

Reins. — Sains, injection fine des calices et du bassinet.

Foie. — Sain. La vésicule biliaire est un peu revenue sur elle-même; elle contient plusieurs calculs.

Rate. — Très-peu augmentée de volume.

Utérus.— Un corps fibreux arrondi, s'énucléant très-bien, de la grosseur d'une noix.

Remarques. — Cette femme est donc morte d'une pneumonie étendue du sommet du poumon gauche. Il est impossible qu'elle ne fût pas malade depuis au moins un ou deux jours avant son entrée. Les renseignements sur ce point, le début des accidents observés, offrant la soudaineté d'une attaque d'apoplexie, la paralysie avec résolution générale et un peu de raideur des avant-bras sur les bras, avaient dû faire penser à une large hémorrhagie cérébrale, ouverte probablement dans les ventricules. C'est le diagnostic qu'on avait porté.

La respiration stertoreuse s'opposait à toute auscultation exacte, qu'on n'a faite d'ailleurs que sur le cœur, la malade étant, au moment de l'examen, tout à fait inerte et mourante.

Des renseignements pris auprès de la sous-surveillante du service, confirment que la veille du jour de sa mort, elle ne se plaignait de rien; elle a marché, et a paru dans son état ordinaire de santé.

Ainsi, aucune lésion encéphalique ne vient donner l'explication des symptômes si graves observés à la fin de la vie. Il est peut-être regrettable que l'on n'ait pas noté la quantité du liquide céphalo-rachidien. Peut-être était-elle augmentée, et nous aurait-elle aidé, comme nous le verrons plus tard, à découvrir la cause de ces phénomènes. Il y a là évidemment une lacune regrettable.

Si nous jetons un regard d'ensemble sur les observations suivantes, nous les diviserons en trois groupes : le premier sera consacré à la simple hyperémie des méninges; le second, à l'hémorrhagie méningée; le troisième, à l'inflammation proprement dite de ces membranes.

OBSERVATION II

Pneumonie à droite. Hémiplégie ultime. Congestion' de la pie-mère. Teinte rosée hortensia de la substance grise d'un hémisphère.

Cureau (Marie), 73 ans, entre à l'infirmerie de la Salpêtrière, salle Saint-Denis, le 13 février.

Cette femme, admise à la Salpêtrière, était utilisée au service des réfectoires : elle était active et assez forte pour porter de lourdes piles d'assiettes.

Atteinte de diarrhée depuis quelques jours, le 12 février elle se sentit si faible qu'elle dut se coucher; elle se refusa à entrer à l'infirmerie. Elle passe la journée du 13 dans son lit, et le soir on la trouve tellement mal qu'on la porte à l'infirmerie. Elle était agonisante.

Le jour de son entrée, 13 février, elle aurait eu des vomissements qui ne se sont pas renouvelés à l'infirmerie. — Aux personnes qui l'approchent, la malade ne paraît pas paralysée; elle aurait même serré en même temps la main à deux personnes placées de chaque côté de son lit. Assise sur son lit, elle a aidé à mettre ses vêtements en ordre; mais elle était très-faible; toutefois, elle parlait sans difficulté. Enfin, à deux heures du matin (14 février), une de ses voisines affirme qu'elle lui a parlé, et que sa voix n'était pas embarrassée.

A trois heures, elle se serait servi de son bras gauche pour s'asseoir, en saisissant de la main gauche la corde de son lit.

Elle aurait encore parlé à cinq heures du matin.

14 février. A la visite du matin, on la trouve dans l'état suivant : résolution complète des membres inférieurs; plus de mouvements réflexes; elle n'accuse plus aucune sensibilité. En touchant la plante des pieds, on ne provoque plus aucune manifestation.

Le bras gauche, soulevé, retombe comme une masse inerte; insensibilité complète; si on soulève le bras droit, la malade le soutient; si on le pince, elle le retire.

La face ne paraît pas déviée; état comateux; cyanose de la face très-marquée; les pieds et les mains sont bleuâtres; teinte très-foncée par places.

Aspect cholériforme.

L'état comateux persiste jusqu'à cinq heures du soir. Mort.

Autopsie faite le 16 février.

Cavité crânienne. — Les artères de la base du cerveau, peu athéromateuses, ne paraissent pas contenir de caillots anciens; les nerfs sont sains en apparence.

La pie-mère est congestionnée sur toute la surface convexe des hémisphères. Lorsqu'on l'a enlevée, il reste une teinte rosée (hortensia) sur toute la surface convexe de l'hémisphère droit. La substance grise de ce lobe présente cette teinte rosée hortensia uniforme, qui ne pénètre pas dans la substance blanche, mais qui ne disparaît pas par le lavage.

Aucune autre lésion des parties superficielles ou profondes de l'encéphale.

Cavité thoracique. — Poumon droit, 630 grammes. Le lobe inférieur est complétement envahi par l'hépatisation grise; état granuleux du poumon; le tissu pulmonaire se déchire facilement, et laisse suinter du pus lorsqu'on le comprime. Pas d'abcès véritable.

Poumon gauche, sain.

Les bronches sont injectées des deux côtés : à droite elles renferment des mucosités purulentes ; l'aorte présente quelques plaques athéromateuses ; les autres organes paraissent sains.

Nous pourrions rapprocher cette observation des faits cités par M. Briquet. — La pie-mère est vivement congestionnée au niveau de la convexité des hémisphères, et la substance grise des circonvolutions présente une teinte rosée hortensia, uniforme, ne disparaissant pas par le lavage.

Cette femme, pendant sa vie, a présenté des phénomènes apoplectiques, du coma, et l'autopsie décèle une hyperémie de la pie-mère et de la couche corticale du cerveau.

Nous retrouvons les mêmes lésions chez le malade dont M. Troisier a bien voulu nous confier l'observation.

OBSERVATION III

Pneumonie aiguë. Symptômes d'apoplexie cérébrale. (Due à l'obligeance de M. Troisier, interne des hôpitaux.)

Cauchois, 70 ans, entre le 13 mars 1869, salle Saint-André, service de M. Luys, hospice de Bicêtre.

Cet homme, d'après les renseignements donnés par les surveillants, toussait depuis huit à dix jours, lorsque, le 13 mars 1869, il fut frappé tout à coup d'apoplexie, et amené à l'infirmerie, dans le coma.

Le 14 au matin. On le trouve immobile, dans le décubitus dorsal. La tête est déviée à droite, avec contracture du cou ; elle revient dans cette position lorsqu'on la tourne en sens inverse : la face est pâle, les paupières fermées ; les globes oculaires sont en rotation, le gauche occupant l'angle interne, le droit l'angle externe. Ils exécutent cependant de légers mouvements ; la pupille de l'œil gauche est moyennement dilatée, immobile ; la droite est invisible, à cause d'une tache de la cornée ; perte complète de connaissance.

Lorsqu'on le pince un peu fortement, ou qu'on le change de position, cet homme pousse quelques plaintes inarticulées, et en même temps il se produit quelques mouvements convulsifs dans les muscles de la face.

La joue gauche est affaiblie et se déprime davantage à chaque inspiration ; la bouche est déviée à droite, et de ce côté le sillon naso-labial est un plus prononcé que du côté gauche.

Les membres supérieurs sont en demi-flexion ; lorsqu'on veut étendre l'avant-bras sur le bras, on éprouve une certaine résistance, et il se produit une sorte d'oscillations convulsives, qui durent tant que l'extension n'est pas complète. Le bras tout entier est alors animé pendant quelque temps de secousses spasmodiques très-prononcées.

Ces phénomènes se passent des deux côtés. Les deux membres inférieurs, légèrement œdématiés, retombent inertes lorsqu'on les soulève. Les mouvements réflexes y sont conservés.

Le 14 (quatre heures du soir). La tête toujours déviée à droite ; les paupières sont fermées ; les globes oculaires exécutent quelques mouvements très-lents ; perte absolue de connaissance ; faciès pâle, bouche entr'ouverte présentant toujours la même déviation ; la langue et les gencives sont recouvertes de fuliginosités.

Ronchus trachéal. Les membres supérieurs soulevés retombent inertes. Les mouvements réflexes ont disparu aux membres inférieurs.

Quatre heures et demie. Agonie. Refroidissement des extrémités.

Autopsie, pratiquée le 16 mars.

Cavité crânienne. — Crâne épais. Encéphale, 1,300 gr. Légère teinte rosée de la face interne de la dure-mère, sans épaississement. Épaississement et état trouble des méninges molles. Les vaisseaux méningés et les artères de la base sont gorgés de sang fluide. Les artères offrent quelques plaques scléro-athéromateuses. Injection considérable de tous les vaisseaux encéphaliques.

Les artères sylviennes ne contiennent que des caillots décolorés, formés après la mort.

Rien à la surface des circonvolutions. A la coupe, la couche la plus profonde de la substance grise présente une *teinte rosée* uniforme, qui va en s'adoucissant insensiblement de dedans en dehors.

Petite lacune dans un point de la substance blanche centrale. Le corps strié et les couches optiques offrent à la coupe quelques lacunes et des taches rougeâtres, vineuses (congestion partielle).

Cavité thoracique. Cœur. — Tissu ferme. Les parois du ventricule gauche mesurent 2 cent. 1/2 d'épaisseur. Pas de caillots dans les cavités. Quelques plaques scléreuses sur les valvules sigmoïdes et auriculo-ventriculaires.

L'aorte, dilatée dans sa partie ascendante, présente quelques plaques scléreuses. Trois de ces plaques sont recouvertes de dépôts athéromateux, qui se détachent facilement par le lavage.

Poumons. — Le poumon gauche est congestionné. Le poumon droit présente une pneumonie fibrineuse granulée, arrivée au 2ᵉ degré, et dans quelques points au 3ᵉ degré. — L'hépatisation occupe la partie moyenne et presque toute l'épaisseur du poumon.

Dans la partie centrale du noyau hépatisé, on trouve à la coupe un tractus fibreux irrégulier, envoyant des prolongements en divers sens, et ressemblant à une ancienne cicatrice rétractée.

Pleurésie pseudo-membraneuse au niveau de la pneumonie.

Cet homme toussait depuis quelques jours, mais n'était pas alité. Tout à coup il tombe sans connaissance ; la face déviée à droite, les membres supérieurs sont légèrement fléchis et un peu contracturés ; les inférieurs, inertes ne tardent pas à s'œdématier et ne présentent bientôt plus aucun phénomènes réflexes, la face est déviée. L'individu meurt dans le coma. Tout semblait faire croire à une hémorrhagie méningée. A l'autopsie on trouve seulement une congestion très-forte des méninges, la face interne de la dure-mère présente une teinte rosée, sans épaississement; la dure-mère est épaissie et les vaisseaux méningés et encéphaliques sont gorgés de sang.

Le poumon droit est le siége d'une pneumonie fibrineuse du 2ᵉ degré avec quelques îlots déjà parvenus au 3ᵉ degré.

La nature des symptômes et leur spontanéité, la présence dans l'aorte de plaques athéromateuses en partie ramollies pourraient faire croire à des embolies capillaires.

Mais cette manière de voir ne rendrait pas compte des phénomènes de contracture et d'agitation observés chez ce malade encore assez longtemps après le début des accidents, phénomènes qui trouvent bien mieux leur explication dans la congestion et l'irritation des méninges.

Nous sommes ici sur la limite de la congestion simple, l'observation suivante nous montre une des conséquences naturelles d'une congestion intense, je veux dire l'hémorrhagie.

OBSERVATION IV

Pneumonie. Hémorrhagie méningée.

Bureau (Thérèse), 71 ans, entre le 23 mars 1864 à l'infirmerie de la Salpêtrière, salle Saint-Denis, service de M. Vulpian.

Pas de maladies antérieures.

Perte d'appétit depuis huit jours avec un peu de fièvre et de *mal de tête.*

A l'examen de la poitrine, on ne trouve rien aux poumons ni au cœur.

Les urines précipitent par l'acide nitrique et la chaleur.

Au bout d'un mois de séjour à l'infirmerie, elle est prise d'une pneumonie et meurt sans présenter de symptômes cérébraux.

Autopsie, faite le 27 avril.

Cavité crânienne.— Pas d'adhérences de la dure-mère

au crâne; en enlevant cette membrane, on trouva l'hémisphère cérébral droit recouvert à la partie antéro-supérieure d'un large caillot récent en forme de nappe.

Malheureusement la face interne de la dure-mère n'a pas été examinée.

Les coupes du cerveau, du cervelet, de la protubérance ne font découvrir aucune lésion.

Cavité thoracique. Adhérence des plèvres viscérales aux pariétales.

Poumon gauche. Emphysème de tout ce poumon, congestion œdémateuse de la partie postérieure du lobe inférieur. A la coupe de cette partie, il s'écoule des bronches du liquide muco-purulent.

Poumon droit. Dense, couvert dans toutes les parties de sa surface par des plaques fibrineuses, qui réunissent entre eux les lobes supérieurs et inférieurs de façon à n'en plus former qu'un.

A la coupe, le tissu du sommet est dense, blanchâtre, marbré de tractus noirâtres, ne crépitant plus, laissant suinter un liquide puriforme. Le doigt pénètre assez difficilement. Une portion sectionnée tombe au fond de l'eau.

Même aspect à la coupe du lobe moyen, seulement le doigt le pénètre facilement et du pus en grande quantité paraît sortir des bronches et du tissu lui-même.

Congestion œdémateuse du lobe inférieur dans quelques points du pus paraît sortir des bronches.

Les autres viscères ne présentent aucune lésion apparente, même les reins, bien que, pendant le séjour de la malade à l'infirmerie on ait noté la présence de l'albumine dans les urines.

Il s'agit ici d'une femme qui, au cours d'une pneumonie, meurt sans présenter de symptômes nerveux, ni apoplectiques, ni convulsifs ; on n'a pas même noté de délire. Elle meurt, et après la mort on trouve l'hémisphère cérébral droit recouvert à sa partie antéro-supérieure d'un vaste caillot récent en forme de nappe. La pneumonie occupait les lobes supérieurs et moyen et était à la période de transition du 2e au 3e degré.

Ainsi, injection de la pie-mère, hydropisie du tissu cellulaire sous arachnoïdien (obs. 8), hémorrhagies méningées, tels sont les phénomènes que peut déterminer la tension veineuse, dans la pneumonie. Mais là ne s'arrêtent pas les effets de la congestion, surtout de la congestion liée probablement à un état d'altération du sang plus ou moins caractérisée.

Nous arrivons graduellement à notre troisième groupe de lésions, l'inflammation des méninges. Dans l'observation suivante le canal rachidien n'a pas été ouvert.

L'état des méninges cérébrales ne laisse aucun doute sur l'existence d'un travail inflammatoire récent.

OBSERVATION V

Pneumonie aiguë. Abcédée. Léger ramollissement superficiel de l'encéphale. Adhérence des méninges à la substance cérébrale.

Lambert (Jeanne), 63 ans, entre le 3 février 1864 à l'infirmerie de la Salpêtrière, salle Saint-Nicolas, service de M. Vulpian.

Jamais de paralysie ni de grande maladie. Cette femme entre à l'infirmerie parce que sa toux était plus forte; un peu de dyspnée.

L'exploration de la poitrine ne fait rien découvrir.

28 février. Elle est prise d'un frisson qui dure plusieurs heures, légères douleurs au côté droit. Le murmure vésiculaire semble affaibli de ce côté de la poitrine.

Le 29. La sonorité est diminuée dans la moitié inférieure. Râles de bronchite, mais pas de souffle apparent, langue un peu sale, fièvre peu intense, dyspnée assez forte.

1er mars. Pas de souffle. Respiration soufflante, puérile à droite.

Le soir, un peu de subdélirium. Aggravation générale. Langue sèche. Perte d'appétit complète. La respiration est fatigante, difficile, un peu plaintive. La percussion ne décèle rien de spécial, même à droite ; mais à l'auscultation, on trouve la respiration profondément soufflante, surtout en haut. En avant et sous l'aisselle, quelques râles crépitants disséminés.

Le 4. Depuis deux jours se plaint de douleurs dans la gorge ; haleine fétide. Angine pultacée ; pas d'expectoration.

Faciès altéré, langue sale. Cependant la malade se lève d'elle-même sur son lit et s'y tient quelques minutes.

Le 13. La malade avait paru reprendre un peu de forces. Cependant l'appétit ne revenait pas, et le 13 on la retrouve dans l'état suivant :

Facies altéré. Douleurs vagues dans les deux côtés de la poitrine. La langue est redevenue sèche.

On trouve du souffle à droite et en haut, plus manifeste que la première fois.

Le 15. Etat général de plus en plus grave. Toujours

grande inappétence. Facies très-altéré. Sorte de subdélirium.

Meurt dans la soirée.

Autopsie, faite le 17 mars à 10 heures du matin.

Cavité crânienne. — Rien de spécial sur la boîte du crâne. Quelques adhérences assez manifestes de la dure-mère au crâne, pas de néo-membranes.

Les méninges s'enlèvent facilement sur les faces antérieures des deux côtés. Mais sur les faces postérieures, également des deux côtés, et surtout à la base, aux lobes sphénoïdaux, elles entraînent avec elles des parcelles de substance cérébrale, de sorte que la couche corticale paraît déchirée au lieu d'être lisse; et, au lieu d'un gris uniforme, elle présente une teinte hortentia assez marquée.

Cavité thoracique. — 1° Poumon droit : l'altération porte surtout sur le lobe supérieur, et un peu sur le lobe moyen. La partie inférieure et le lobe inférieur sont relativement sains.

L'altération du lobe supérieur consiste en une augmentation de densité du tissu pulmonaire, qui a perdu sa crépitation, et qui offre à la coupe un tissu converti en petites masses granuleuses, résistantes, laissant suinter du pus; de coloration grisâtre ou rouge vineux, s'écrasant sous le doigt, se déchirant avec facilité et allant au fond de l'eau.

Toutes les coupes n'offrent pas le même aspect; dans quelques points l'hépatisation paraît plus avancée, elle l'est moins dans d'autres. La coupe laisse quelquefois suinter du liquide sanieux, puriforme. D'autres fois, la coupe est lisse, grenue, jaunâtre; on dirait une transformation caséeuse. Dans deux autres endroits existent deux cavités pouvant loger une noisette, constituées aux dépens du tissu pulmonaire altéré, et d'où sort une collection puriforme bien nette.

Il ne semble pas y avoir de places gangrénées. Pas de trace de pleurésie à l'extérieur.

Poumon gauche. — Œdème considérable, existant principalement à la base et à la partie postérieure. A la coupe, il s'échappe une grande quantité de sérosité et de liquide puriforme des bronches, qui des deux côtés sont très-injectées.

Les autres viscères ne présentent pas de lésions importantes. L'aorte contient un certain nombre de plaques athéromateuses qui soulèvent la membrane interne de ce vaisseau, et, dans d'autres points, offrent de légères altérations.

Les reins sont volumineux, anémiés dans certains points, mais leur tissu me paraît sain.

Cette femme entrait en convalescence de pneumonie lorsque tout à coup son état s'aggrave, sans que rien cependant pût faire croire à quelque complication sérieuse du côté des centres nerveux. Elle meurt après avoir présenté seulement un peu de subdélirium.

A l'autopsie on n'a pas noté l'injection de la pie-mère, mais sur deux points différents les méninges sont adhérentes à la substance grise du cerveau, et entraînent, lorsqu'on les enlève, des parcelles de substance cérébrale. Au niveau de ces adhérences, la couche cortical présente une teinte hortensia qui ne laisse aucun doute sur la participation du tissu nerveux à la congestion et à l'inflammation des méninges.

La pneumonie était arrivée au 3e degré, et occupait les lobes supérieur et moyen du poumon droit.

Enfin, les communications de MM. Hayem, Magnan et Liouville, à la Société de biologie, sur la participation des méninges spinales aux altérations tuberculeuses observées déjà pour les méninges cérébrales, pouvaient faire prévoir que dans la pneumonie franche, les membranes rachidiennes devaient parfois subir le même travail d'irritation que les membranes encéphaliques, et présenter les mêmes lésions. C'est, en effet, ce que nous montrent les deux observations suivantes.

OBSERVATION VI

Pneumonie droite. Congestion du poumon gauche. Méningite cérébro-spinale. (Pitié, salle Saint-Raphaël, service de M. Vulpian.)

Chande (Jacques), âgé de 52 ans, terrassier, est pris de frissons et de vomissements le 20 mai 1872.

Malaise sans fièvre ; le 24, point de côté ; le 26 il entre à l'hôpital.

Cet homme n'a fait aucune maladie sérieuse, et, à son dire, n'a pas d'habitudes alcooliques.

Le 26. Décubitus dorsal, peau chaude, pouls fréquent, perte d'appétit, pas de diarrhée, face rouge, un peu abattue. Dypnée. Toux. Crachats visqueux, adhérents, légèrement teintés en rouge.

Poumon gauche. — Rien à noter.

Poumon droit. — Matité assez considérable, augmentant à mesure que l'on descend de l'épine vers la base

(1) Hayem, Compte-rendu de Soc. de biologie, 1869.

(2) Magnan, *id.*

(3) Liouville, *id.*

du poumon. Souffle tubaire dans la même étendue, bronchoégophonie de la voix. Vibrations thoraciques diminuées en bas et en arrière, conservées plus haut.

Cœur. — Rien à noter.

J. diacode avec kermès, 0,30.

Le 27. Même état. 10 ventouses scarifiées.

J. diacode tartre stibié 0,30.

T. A. 39°; soir, P. 108, T. 39°8, R. 44.

Le 28. P. 108, T. 39°2, R. 40; soir, 112, un peu dicrote, T. 39°9, R. 46.

Le 29. P. 108, T. 39°2, R. 48; soir, P. 96, irrégulier, T. 38°4, R. 48.

Le 30. Le souffle bronchique remonte moins haut, mais, cette nuit, le malade a été pris de délire; agitation. Tartre stibié.

P. 100, très-irrégulier, T. 38°6, R. 40; soir, P. 76, irrégulier, T. 38°2, R. 32.

Le soir, on note un peu de rougeur de l'arrière-gorge.

Le 31. P. 80, T. 38°, R. 28; soir, P. 108, T. 34°, R. 40.

1er juin. P. 100, T. 38°5, R. 34; soir, P. 120, T. 39°8. R. 36.

Point de côté à gauche. Rien à ce niveau. 10 ventouses scarifiées.

Le 2. T. rect. 41°9.

Ce matin, râle trachéal. Mort à 1 heure après midi.

Autopsie faite le 4 juin.

Cavité thoracique :

Poumon gauche. — Congestion œdémateuse considérable des diverses parties, sans induration pneumonique.

Poumon droit. — Hépatisation rouge de tout le lobe

inférieur, une portion du tissu tombe lourdement au fond de l'eau. L'hépatisation n'est pas finement granulée, on la dirait en voie de résolution. Les autres lobes présentent un peu de congestion œdémateuse.

Rien à noter pour le cœur ni pour les viscères abdominaux.

Cavité crânienne. — Méningite de la base caractérisée par l'épaississement des membranes, leur vive injection, et l'existence d'une suffusion de sérosité louche, opaque dans certains points. Dans d'autres points, la matière épanchée sous les membranes est épaisse et comme un peu fibrineuse, c'est ce que l'on voit surtout vers la partie postérieure de la base du cervelet, et aussi sur la face antérieure de la protubérance. On trouve des traces analogues de méningite le long des scissures de Sylvius et au niveau d'un grand nombre d'anfractuosités de la surface convexe.

Pas de lésions apparentes des vaisseaux ni des nerfs de la base. Pas d'injection, pas de dépôt purulent ni plastique dans les ventricules.

Moelle épinière. — Méningite spinale, dépôt puriforme et plastique sous l'arachnoïde, principalement à la face postérieure et jusqu'à la partie inférieure, mais avec une épaisseur inégale.

OBSERVATION VII

Pneumonie à droite. Méningite cérébro-spinale.

M. Pridet, couturière, 60 ans, entre le 26 décembre 1870, à la Pitié, salle Sainte-Claire, service de M. Vulpian.

La malade, très-abattue, donne difficilement les renseignements sur ses antécédents.

Réglée de 18 à 50 ans, a eu un seul enfant à 24 ans, aurait fait deux maladies, dont la dernière paraît être un rhumatisme articulaire aigu, dont elle aurait été soignée à l'Hôtel-Dieu, il y a quelques années. — On a appris après sa mort qu'elle se livrait à la boisson.

Etat actuel. — Malaise remontant à trois semaines.

Fièvre, dyspnée, crachats visqueux et sanguinolents.

Examen des poumons. — A la percussion, sonorité exagérée (bruit skodique) sous les clavicules. En arrière, sonorité normale du côté gauche, matité presque absolue du côté droit.

A l'auscultation, respiration exagérée en avant et en arrière, à gauche, broncho-égophonie à droite en arrière, respiration exagérée dans la fosse sus-épineuse.

Cœur. — Rien à noter, circulation rapide.

Meurt le 29, sans avoir présenté aucun autre symptôme cérébral que l'affaiblissement intellectuel et l'abattement dont il a été parlé.

Autopsie, fait le 31 décembre 1870.

Poumon gauche. — Plèvre adhérente au sommet et dans la partie qui unit le lobe inférieur au lobe supérieur.

Poumon droit. — Lobe inférieur hépatisé et même purulent dans quelques points ; granulations grises très-marquées, très-nombreuses ; lobe moyen engoué, ne présentant aucune trace de granulations, de sorte que celles-ci forment une limite très-tranchée entre les deux lobes. Le lobe supérieur est à peine engoué. Sommet sain.

Cœur. — Valvules sigmoïdes, mitrales et tricuspides

à peine épaissies. Quelques concrétions dans l'artère pulmonaire qui paraît rigide et presque cassante.

Foie. — Légèrement gras. Calculs tétraédriques et polyédriques très-nombreux dans la vésicule du fiel.

Rate et reins. — Rien à noter.

Cavité crânienne. — Adhérences de la dure-mère au crâne. Vaisseaux de la dure-mère très-gonflés; quelques-uns même font adhérer la dure-mère à l'arachnoïde. Liquide purulent dans le tissu sous-arachnoïdien.

Moelle. — Liquide purulent dans le tissu cellulaire sous-arachnoïdien.

Note de M. Vulpian. — La malade avait donc une méningite cérébro-spinale. Or, aucun phénomène pendant la vie n'avait pu faire soupçonner l'existence d'une méningite. On avait bien constaté un très-léger degré de subdélirium, mais, d'après les renseignements, il s'agissait d'une femme adonnée à la boisson.

Chez ces deux malades, on le voit, l'inflammation s'est étendue aux méninges de la convexité et de la base de l'encéphale et à la pie-mère rachidienne dans toute son étendue. Dans l'une et l'autre observation, les malades avaient à peine présenté un peu de subdélirium, un peu d'abattement, symptômes du reste assez peu marqués pour que, apparus au sixième jour de la maladie chez l'un des malades, ils n'aient plus été notés dans la suite de l'observation. L'inflammation était caractérisée par l'épaississement des membranes à la convexité et à la base du cerveau et par leur vive injection, la présence dans le tissu sous-arachnoïdien de sérosité purulente, et même de fausses membranes fibrineuses, ne laisse aucun doute sur le travail inflammatoire dont ces membranes ont été le siége. Les mêmes lésions se retrouvaient tout le long de la moelle, surtout à sa face antérieure.

Mais l'inflammation ne se borne pas toujours aux méninges, elle peut se propager à la moelle elle-même. C'est ainsi que dans un cas dont nous a entretenu verbalement M. Liouville, la moelle était ramollie et suppurée. Il s'agissait d'une femme, jeune encore, qui, au cours d'une pneumonie fibrineuse fut prise d'accidents typhoïdes et ne tarda pas à présenter une eschare au sacrum ; elle mourut et à l'autopsie on trouva une méningo-encéphalite et une méningo-myélite très-avancée.

Il ressort donc clairement des faits qui précèdent que la pneumonie détermine parfois, du côté des méninges, un afflux sanguin qui suivant une marche croissante, peut se terminer de trois manières :

1° Rester à l'état de simple hyperémie.

2° Donner lieu à une exsudation de liquide dans le tissu cellulaire sous-arachnoïdien ou à hémorrhagie par rupture d'un vaisseau normal.

3° Déterminer une irritation plus ou moins vive des méninges cérébrales ou spinales, dont la conséquence prochaine est l'inflammation, caractérisée par la présence de pus, d'adhérences ou de fausses membranes, qui rendent possible l'hémorrhagie par rupture d'un vaisseau de nouvelle formation, comme Durand-Fardel en cite un exemple.

II.

La congestion et l'inflammation des membranes étant démontrées, recherchons leurs causes et voyons si l'on peut dire avec les anciens, que les symptômes nerveux qui accompagnent la pneumonie sont dus à des phénomènes purement sympathiques.

Cabanis (1) écrivait que le poumon étant l'un des organes les plus essentiels, on ne devait pas s'étonner de voir ses affections si vivement ressenties par les organes principaux, que la nutrition de ces derniers ainsi que l'état général des forces dépendaient en grande partie de la manière dont s'excitaient les fonctions des poumons.

Certainement, dans un poumon atteint de pneumonie, le sang ne retrouve plus ses qualités normales, et peut devenir une cause de souffrance pour les autres organes, mais ce n'est pas le seul phénomène qui agisse sur le système cérébro-spinal, ni sur les autres organes, comme nous le verrons plus loin. Aussi, deux théories sont en présence pour expliquer la congestion et l'irritation du système nerveux, pendant la pneumonie. Pour les uns, et parmi eux le professeur Gubler, la congestion et l'inflammation des méningites seraient dues à une paralysie des nerfs vaso-moteurs par action réflexe et ressemblerait tout à fait aux méningites cérébro-spinales décrites par Fritz (2) dans la fièvre typhoïde. Pour d'autres, elles seraient le résultat d'une cause purement mécanique, la stase du sang dans le système veineux par suite de l'imperméabilité d'une portion plus ou moins considérable du tissu pulmonaire et de la dilatation incomplète de la poitrine, stase dont la conséquence forcée est une augmentation, une exagération de la tension du sang dans les veines cervicales.

Nous inclinons avec Niemeyer vers cette dernière opinion, sans nier toutefois que l'action réflexe n'ait, dans certains cas, une influence notable sur le développement de ces inflammations, comme elle semble en avoir

(1) Cabanis, Rapports du physique et du moral.

(2) Thèse de Paris, 1864.

une sur l'existence de la rougeur de la joue du côté correspondant au siége de la pneumonie ; l'apparition des érysipèles qui succèdent parfois à cette rougeur, et surviennent chez certains malades dans le cours de chaque pneumonie et toujours du côté correspondant au poumon malade, comme l'a observé M. Lemestre (*Union médicale*, 1857), semblerait justifier cette manière de voir.

Mais avons-nous besoin d'invoquer une cause si éloignée, nous ne le croyons pas ; il s'agit dans la pneumonie d'une hyperémie passive par déplétion incomplète des veines cervicales, hyperémie favorisée par la diminution de la force de résistance des vaisseaux intra-crâniens, surtout chez les vieillards et peut-être aussi par la dilatation réflexe des capillaires due à l'irritation du parenchyme cérébral.

Du reste, les effets de cette stase sanguine dans le cours de la pneumonie ne sont pas seulement manifestes sur l'encéphale et ses enveloppes, elle détermine en même temps l'hyperémie du foie (ictère) des reins (albuminurie) et de l'intestin (diarrhée) complications assez fréquentes de la pneumonie.

A la stase du sang, vient se joindre un état particulier de ce liquide qui, lié à une forte tension, n'est peut-être pas sans influence sur la production de l'inflammation. Nous voulons parler de cet état du sang incomplètement hématosé, et qui revient par les artères, chargé d'acide carbonique et des produits de désassimilation dus à l'inflammation pulmonaire.

Grisolle avait même cru voir l'origine de l'inflammation des méninges cérébrales compliquant la pneumonie dans une résorption purulente par les vaisseaux qui traversent le foyer pneumonique. Mais nous pouvons objecter à l'assertion de Grisolle que la congestion et l'inflammation des méninges peuvent survenir dans le premier degré de la pneumonie, alors qu'il n'y a pas encore de pus formé comme nous le voyons dans l'observation 8. La clinique du reste ne semble pas en faveur de la résorption ; car dans aucune observation on n'a noté les frissons qui marquent généralement le début des résorptions purulentes.

La déplétion incomplète des veines cervicales n'a pas pour seul effet de déterminer la turgescence des vaisseaux méningés, elle détermine en même temps une exsudation qui à son tour peut agir de deux façons, soit en comprimant le cerveau et la moelle, et en produisant avec l'ischémie de ces viscères les phénomènes apoplectiques qui hâtent la terminaison fatale, soit en irritant les enveloppes cérébro-spinales, comme corps étranger ou par la compression qu'elle leur fait subir.

Cet épanchement séreux, sorte d'œdème aigu du cerveau, nous rend donc compte de certains symptômes d'origine nerveuse observés dans le cours de la pneumonie. Ne recevant plus la quantité de sang habituelle, par suite de la compression des capillaires, les cellules nerveuses, comprimées elles-mêmes, ne fonctionnent plus d'une manière régulière et alors apparaissent le délire et le coma.

On peut nous faire cette objection que dans les maladies du cœur, qui s'accompagnent de congestion et d'œdème cérébral, on n'observe pas de délire. Le fait n est pas absolument vrai. Dès que l'œdème cérébral se produit chez les individus atteints d'affection cardiaque, le sommeil devient impossible. Ces malades ont des rêves, des cauchemars qui les réveillent en sursaut à chaque instant. Ils ne prennent plus de repos. Quant au délire proprement dit, s'il ne s'observe pas chez eux comme dansle cours des pneumonies, c'est que l'œdème ne s'y produit plus de la même façon. Lent dans les affections cardiaques, il ne comprime les capillaires cérébraux que petit à petit, il diminue peu à peu l'afflux du liquide nourricier. Il y a en quelque sorte accoutumance.

Dans la pneumonie, au contraire, l'œdème arrive brusquement, presque à la façon d'une hémorrhagie méningée dont il simule, jusqu'à un certain point, les symptômes ; on dirait une sorte d'hémorrhagie séreuse. C'est sans doute à lui plutôt qu'à une action réflexe qu'il faut attribuer les hémiplégies pneumoniques : soit qu'il existe, chez certains malades des conditions anatomiques exceptionnelles qui font que la pression n'est pas la même dans les différents points de la cavité crânienne, soit que les vaisseaux comprimés n'offrent pas tous la même résistance et que quelques-uns soient aplatis ou même oblitérés, déterminant ainsi une ischémie d'une partie plus ou moins importante de la substance cérébrale, dont les fonctions sont ainsi supprimées. Dans ces cas, la mort arrive généralement trop promptement, pour qu'on puisse constater la désorganisation de la partie ainsi anémiée.

Ainsi, à des degrés différents de la stase sanguine, correspondent des effets différents. D'abord à la simple hyperémie, succède la congestion intense, bientôt suivie de l'infiltration œdémateuse du tissu sous-arachnoïdien. Le liquide ainsi épanché détermine sur les méninges cérébrales et spinales une irritation qui peut aller jusqu'à l'inflammation la plus intense.

III.

Nous venons de passer en revue les conditions physiologiques inhérentes à la pneumonie elle-même, qui paraissent déterminer, dans le cours de cette maladie, les complications du côté des enveloppes de l'encéphale et de la moelle. Nous allons maintenant examiner les autres causes, tels que l'âge des malades, le siége et le degré de la pneumonie, qui peuvent aussi avoir une influence notable sur le développement de ces complications.

Les observations qui ont trait à cette partie de notre travail sont peu nombreuses. Les statistiques des auteurs ont été plutôt au point de vue encéphalique qu'au point de vue de lésions anatomiques, et, si les altérations des méninges ont attiré l'attention, dans un bon nombre de cas sans doute, l'examen a été incomplet.

Nous serions donc obligé, pour établir la fréquence de ces complications de tel ou tel âge, de conclure de l'existence des symptômes, délire ou coma, etc., à la coïncidence d'une lésion méningée, conclusion erronnée, puisque, comme nous en avons une observation sous les yeux, le délire et le coma, les deux symptômes que nous retrouvons dans plusieurs de nos observations, reconnaissaient pour cause un ramollissement superficiel des circonvolutions.

Selon Damaschino (1), les accidents nerveux si fré-

(1) Damaschino, Traité de la pneumonie aiguë des enfants.

quents dans l'enfance au début de la pneumonie franche, laisseraient rarement d'altérations anatomiques après la mort; aussi cet auteur, contrairement à M. Barrier, ne croit-il pas à l'existence d'une véritable méningite chez les enfants morts de pneumonie après avoir présenté des symptômes nerveux; MM. Rillet et Barthez qui insistent sur la fréquence du délire et des convulsions dans la pneumonie chez les enfants, au point d'en faire des formes de pneumonies spéciales, restent muets sur les lésions des méninges ou du cerveau ; cependant ils indiquent certains troubles trophiques, tels que gangrène de la bouche, de l'intestin, qui ne sont peut-être pas sans quelque rapport avec des altérations de centres nerveux ou de leurs enveloppes.

Quoi qu'il en soit, ces lésions, lorsqu'elles existent, doivent être généralement peu marquées, et se borner à une simple congestion des méninges, qui, sans doute, disparaît avant la mort du malade.

Chez l'adulte, nos recherches ne nous ont pas fourni de renseignements bien positifs sur la fréquence des lésions caractéristiques de phénomènes nerveux pneumoniques, et nous croyons que de nouvelles observations sont nécessaires pour compléter à ce point de vue l'anatomie pathologique de la pneumonie.

Grisolle dit avoir trouvé les méninges enflammées chez le tiers des individus qui, dans le cours de la phlegmasie pulmonaire, avaient été pris de délire, et une seule fois chez un ivrogne. Or, cet auteur n'a observé le délire que dans un onzième des cas. Les complications méningées seraient donc rares et ne sembleraient pas affecter les ivrognes plus que les autres.

Grisolle ne signale que les lésions caractéristiques de

la méningite ; mais peut-être n'a-t-il pas tenu suffisamment compte de la congestion simple ni de la plus grande abondance du liquide sous-arachnoïdien, qui, nous le savons, peuvent provoquer le délire et les autres accidents nerveux si terribles que nous avons rencontrés dans les observations II et VI ; il est donc difficile de conclure de sa statistique, au degré de fréquence des complications méningées de la pneumonie chez les adultes.

Chez le vieillard, les accidents nerveux sont presque la règle, dans la pneumonie, au point que Hourmann et Dechambre ont pu émettre cette opinion, que dans cette affection le délire était l'apanage des vieillards. Chez eux aussi, les lésions méningées paraissent s'observer plus fréquemment. Les pneumoniques qui sont l'objet de nos observations sont presque tous des vieillards ; les deux plus jeunes ont 52 ans ; et Durand-Fardel signale des lésions des membranes cérébrales dans la moitié des cas, au lieu d'un tiers chez les adultes, selon Grisolle. L'altération des vaisseaux peut expliquer la fréquence plus grande de ces lésions chez les vieillards que chez les adultes.

Le siége de la pneumonie ne nous a pas semblé avoir une influence bien manifeste sur la production de ces lésions. Il y a une prédominance marquée, il est vrai, du côté droit, mais le lobe supérieur ne paraît pas plus souvent atteint que la base des poumons. Il en était de même dans les cas de pneumonie avec méningite cérébro-spinale, rapportés par Immerman et Heller (1). Dans nos deux observations analogues, la pneumonie siégeait à la base.

(1) Immerman et Heller, loc. cit.

L'époque de la pneumonie à laquelle les complications cérébrales semblent se produire, serait, si nous en jugeons d'après nos observations, le 2ᵉ degré, et surtout le moment de transition entre le 2ᵉ et 3ᵉ degré. Dans deux cas, en effet, les poumons présentaient les lésions du 2ᵉ degré; dans les cinq autres cas, celles du 2ᵉ et du 3ᵉ degré. Dans un cas même, il y avait un abcès. Or, comme la mort a suivi de près, généralement, l'apparition des symptômes nerveux, lorsqu'ils se sont manifestés, on pourrait en déduire que, lors de cette apparition, la pneumonie en était déjà arrivée au degré indiqué à l'autopsie.

L'amélioration locale du poumon pneumonique ne met pas à l'abri de complications cérébrales. La femme qui fait l'objet de l'observation suivante, était convalescente lorsqu'elle fut prise tout à coup d'accidents nerveux graves, d'une sorte de délire aigu. Elle mourut, et l'autopsie vint montrer l'existence d'une méningite caractérisée par l'épaississement et l'opacité de l'arachnoïde, l'engorgement des vaisseaux méningés, et une exagération notable de la sérosité sous-arachnoïdienne. Du reste, c'est probablement à des lésions de ce genre, mais arrivées à un moindre degré, qu'il faut attribuer les quelques cas de folie, signalée après une pneumonie (1).

OBSERVATION VIII

M. Regnard, interne des hôpitaux, Gazette des hôpitaux, 13 septembre 1864.

Délire aigu à la suite d'une pneumonie; âge cri-

(1) Magnier, thèse de Paris, 1865.

tique; vociférations, mouvements convulsifs de la tête et du cou : mort. Œdème et congestion des membranes.

Marguerite M..., âgée de 52 ans, concierge, est amenée le 8 mars 1864, dans le service de M. Baillarger.

Cette femme a été prise, il y a dix jours, d'une pneumonie pour laquelle elle fut soignée par M. le Dr Besnier. Elle commençait à aller mieux quand, quatre jours après son entrée, elle fut atteinte de délire avec agitation, cris, etc.

Sa santé était habituellement bonne, à part de violentes migraines revenant à peu près tous les mois.

Depuis quelque temps, elle souffrait beaucoup aux époques cataméniales; les deux dernières ont manqué.

Son père et un de ses frères sont morts fous. Il paraît qu'elle se préoccupait outre-mesure de l'expropriation prochaine de la maison dont elle est concierge.

Nous la voyons au moment de son arrivée. Elle est dans un état d'agitation extrême, s'écrie qu'elle n'est pas folle, qu'elle est pauvre mais heureuse, etc.; puis s'accuse de crimes imaginaires, demande à genou qu'on la tue, qu'on la condamne, etc.

La peau est chaude; 100 pulsations; la langue sèche, rouge aux bords, face vultueuse, congestionnée ; les pupilles normales; les yeux hagards et se convulsant dans toutes les directions.

Le 9, même état général ; on parvient cependant à fixer son attention et à lui faire tirer la langue. Elle répète obstinément la fin des phrases qu'on prononce devant elle.

Le 10. La malade a dormi deux heures. Elle boit avec avidité. On ne perçoit pas de battements aortiques (embonpoint considérable de la malade).

Le 11. Elle a mangé un peu de potage. Pouls à 96.

Le 12. Agitation extrême; la malade hurle deux ou trois mots qu'elle répète sans cesse jusqu'à épuisement, tout en tournant avec rapidité la tête à droite et à gauche. Sensibilité nulle; pouls petit, à 152. Ces phénomènes persistent et s'atténuent peu à peu jusqu'à la mort, qui arriva le 14 au matin.

Le traitement a consisté en vésicatoires aux cuisses, purgatifs, sulfate de quinine et opium.

Autopsie : L'encéphale pèse 1,139 grammes dont 1,030 gr. pour les hémisphères qui sont à peu près égaux.

On a pu peser 75 grammes de sérosité sanguinolente provenant des espaces sous-arachnoïdiens, tant de la convexité que de la base.

L'arachnoïde est légèrement opaque par places et notablement épaissie. Les gros vaisseaux de la pie-mère sont gorgés de sang, et les deux membranes s'enlèvent par larges lambeaux; les lacis vasculaires qui tapissent les anfractuosités sont également rouges et congestionnés. Aucune altération apparente de la substance cérébrale dont la consistance paraît plutôt augmentée que diminuée. Les viscères thoraciques et abdominaux sont sains, à l'exception d'un vaste noyau d'hépatisation rouge à la base du poumon gauche.

Ainsi les complications du côté des méninges dans le cours de la pneumonie paraissent plus fréquentes dans la vieillesse qu'aux autres périodes de la vie. Elles surviennent au 2e et au 3e degré de l'inflammation pulmonaire, sans que le siége de celle-ci semble avoir une influence bien marquée sur leur production. Enfin, la convalescence n'en met pas toujours à l'abri.

Cependant, il est à croire qu'une pneumonie double s'accompagnera plus fréquemment de troubles et de lésions encéphaliques, puisque la tension du sang dans le système veineux doit être portée à son maximum d'intensité, par suite de l'imperméabilité des deux poumons.

Quant aux causes qui déterminent l'irritation et l'inflammation des enveloppes de la moelle, il est probable qu'elles sont les mêmes que pour les méninges cérébrales, et que les mêmes circonstances influent à la fois sur la production de l'une et de l'autre; c'est là un point d'anatomie pathologique sur lequel de nouvelles observations ne tarderont pas, sans doute, à jeter le jour.

SYMPTOMES, DIAGNOSTIC, PRONOSTIC.

Après avoir jeté un coup d'œil d'ensemble sur les observations qui précèdent, on peut voir combien, au cours d'une pneumonie, il doit être difficile de se prononcer pendant la vie sur l'existence et surtout sur la nature exacte d'une complication méningée.

Comme nous le disions au commencement de cette thèse, les symptômes sont peu en rapport avec la gravité des lésions observées après la mort. Il semblerait même que les cas où l'inflammation atteint la plus grande intensité, soient ceux qui s'accompagnent des phénomènes les moins caractéristiques. Dans les observations 5, 6 et 7, les malades ont à peine présenté un peu de délire, d'affaissement, et cependant c'est chez eux que nous trouvons les lésions inflammatoires les plus avancées; elles portent sur la totalité des pies-mères cérébrales et spinales.

L'observation 4 peut encore être rapprochée des précédentes par la gravité de la lésion et l'absence complète de symptômes. Il s'agit d'une hémorrhagie méningée d'assez grande étendue, qu'aucun symptôme n'avait permis de soupçonner.

Au contraire, dans les observations 1 et 3, tout faisait pressentir une hémorrhagie méningée, début apoplectiforme, paralysie et contracture des membres, précédées de secousses convulsives; ce diagnostic avait été porté dans l'observation 1, et cependant l'autopsie est venue montrer, de la manière la plus évidente, l'erreur du diagnostic, et l'absence de toute hémorrhagie. Dans l'observation 1, on ne peut découvrir aucune lésion, il s'agissait probablement d'un de ces cas analogues à ceux du Dr Lépine, où la suffusion séreuse était abondante et par sa pression sur les méninges et le cerveau, déterminait les mêmes phénomènes d'excitation que les véritables hémorrhagies.

L'observation 2 présente des phénomènes de dépression, perte de la motilité et de la sensibilité qui ne trouvent évidemment pas leur explication dans la congestion des méninges.

En résumé, nous voyons que dans la pneumonie, les différentes lésions des méninges spinales donnent lieu à des symptômes, tantôt d'excitation (délire, contracture), tantôt de dépression (paralysie, coma), à l'aide desquels il est très-difficile, sinon impossible, de formuler n diagnostic. De la simple congestion à l'inflammation la plus intense, tous les degrés ont été observés, sans qu'aucun d'eux n'ait fourni de symptômes caractéristiques. Il faut donc, là encore, attendre de nouvelles observations, qui, prises à ce point de vue, ne laisseront échapper aucun détail, et permettront sans doute bientôt de combler cette lacune de l'histoire de la pneumonie.

Nous avons tenu peu de compte des symptômes observés par MM. Immermann et Heller ; il s'agit là de cas particuliers qui ne rentrent pas dans notre sujet. Les malades subissaient l'influence épidémique et il n'y avait pour ainsi dire qu'une simple coïncidence entre la méningite cérébro-spinale et la pneumonie au lieu d'une relation de cause à effet.

Quant au pronostic, nous n'avons que peu de chose à en dire. Il résulte de ce que nous avons dit dans les autres paragraphes, que ces complications méningées sont toujours graves, surtout chez les vieillards où les parois altérées des vaisseaux permettent plus facilement l'exsudation de sérosité et les hémorrhagies.

Il n'est pas rare chez les adultes et les enfants, de voir succéder à la pneumonie des affections mentales de courte durée généralement et qui tiennent peut-être à la disparition lente des lésions encéphaliques produites par la pneumonie.

Pour le traitement, il consisterait à diminuer la tension du sang dans le système veineux. S'il ne s'agissait généralement en pareil cas de vieillards, il y aurait un moyen tout indiqué, la saignée. Mais on sait combien il est rare de voir les vieillards tomber, après une saignée même légère dans un état d'adynamie redoutable. Nous croyons donc qu'en général, il sera bon de traiter l'inflammation pulmonaire par les moyens ordinaires et si on veut faire une diversion, de préférer les purgatifs aux émissions sanguines.

CONCLUSIONS.

De l'ensemble de ce travail, nous croyons pouvoir tirer les conclusions suivantes :

1° La pneumonie peut se compliquer de phénomènes congestifs plus ou moins intenses du côté des méninges cérébrales et spinales.

2° Ces phénomènes se bornent dans certains cas à une simple hyperémie, mais parfois, ils déterminent soit une exsudation séreuse, soit une hémorrhagie méningée, soit enfin une inflammation plus ou moins vive des méninges cérébrale ou cérébro-spinale, et même du tissu nerveux ;

3° Ces complications peuvent ne donner lieu à aucun symptôme important, ou au contraire faire naître les symptômes de la plus haute gravité (attaques apoplectiques, délire, coma etc....) ;

4° Ces accidents congestifs paraissent plus fréquents et plus graves dans la vieillesse qu'aux autres périodes de la vie, et sont indépendants du siége, mais non de l'étendue de la lésion pulmonaire.

Enfin ils peuvent se terminer de trois manières : rarement par la guérison, au moins chez les vieillards, quelquefois par des maladies mentales de durée plus ou moins longue, mais bien plus fréquemment par la mort.

Paris. A. Parent, imprimeur de la Faculté de Médecine, rue Mr-le-Prince, 31.

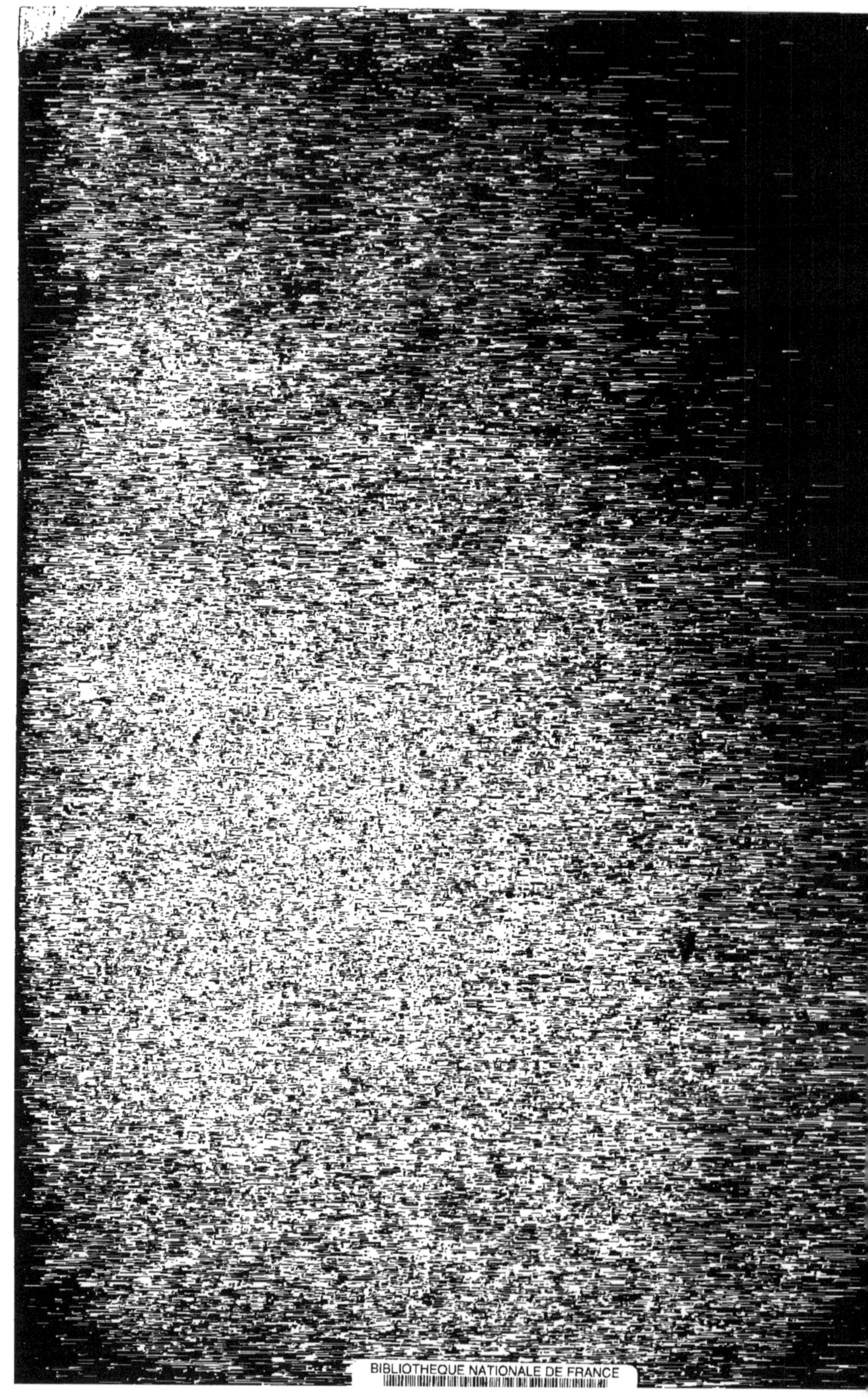

www.ingramcontent.com/pod-product-compliance
Ingram Content Group UK Ltd.
Pitfield, Milton Keynes, MK11 3LW, UK
UKHW020350250726
13967UKWH00005B/2205

9 782012 476073